T'ES GONFLÉ!

GRIBOUILLAGES : JANRY
GRIFFONAGES : TOME
BARBOUILLAGES : STÉPHANE DE BECKER (STUF)
Enfantillages SUPPLÉMENTAIRES : DAN

DUPUIS

Il y avait déjà LE GRAND SPIROU.
Désormais, il y a LE PETIT SPIROU.

Comprenons-nous : même si LE PETIT est plus petit que
LE GRAND (qui est le plus grand)...

...LE PETIT, ce n'est pas le petit frère du GRAND.

LE PETIT SPIROU,
c'est simplement LE GRAND quand il était petit.

Mais attention : en simplifiant, on pourrait penser que
LE GRAND est pour les grands lecteurs,
et LE PETIT pour les petits...

Ce serait trop simple.

LE PETIT SPIROU est aussi bien pour petits et grands que
LE GRAND (qui a déjà conquis tant de grands et petits).

C'est clair, non ?

Quelques copains...

VERTIGNASSE

Prénom : Antoine.
Mon meilleur ami
depuis qu'on nous
a surpris à épier
par le trou de
la serrure
du vestiaire des
filles. Lui et moi,
c'est "À la vie,
à la mort!" On ne
se quittera jamais.
Sauf s'il me volait
ma fiancée...
Mais il ne ferait pas
une chose pareille.

SUZETTE

Son vrai nom,
c'est Suzanne
BERLINGOT.
C'est ma fiancée.
Enfin, je crois : elle
a son caractère.
Parfois, je ne sais
plus où on en est.
Grand-papy
prétend que c'est
cela, le mystère
féminin.
Fille du pâtissier.
Déteste qu'on la
prenne pour une
crêpe.

PONCHELOT

Nicolas, dit
"BOULE DE GRAS".
Mon deuxième
meilleur ami. Il
mange trop, celui-
là. Un jour, il va
éclater, tellement il
est trop gros.
Prétend que c'est
un problème d'hor-
mones, ou un truc
comme ça. Mon
œil! On me fera
pas croire qu'une
hormone puisse
manger autant.

CASSIUS

Ou plutôt Cyprien
Futu. Son papa est
le cuisinier de
l'école et son oncle,
chasseur de che-
nilles grillées à
Ouagadougou.
Cyprien est drôle-
ment fort. Il pourrait
faire boxeur plus
tard, mais lui préfè-
rerait Indien ou alors
marabout pour
pouvoir changer le
préfet en limace
des savanes.

MASSEUR

C'est celui avec
la tête allongée,
les yeux endormis
et l'air d'avoir
passé les congés
sur Mars.
En le voyant,
je me dis parfois
qu'ils ont dû garder
le cerveau à
la douane.
Et qu'il était si petit
qu'ils l'ont perdu...

(Suite page 9.)

Notre gentil monsieur l'abbé LANGÉLUSSE aime beaucoup les enfants.

Un peu comme tante Phlébite (qui est un homme *), mais qui, elle ...

...préfère plutôt les petits chiens **

WIF WOUFOUA OUA WOF WOUF WOFWOU WOF NOWAH WOOF WAA WAF WIF WOUF WAF

* lire l'album n°4.

** Oui, oui, tante Phlébite est bien un homme. Que ça reste entre nous.

Mais alors que tante Phlébite, elle, chouchoute ses chiens-chiens ...

Les enfants, notre abbé Langélusse, il préfère quand il peut jouer avec.

Et d'ailleurs, il est mauvais perdant.

BON, ALORS, MAINTENANT IL FAUT ME DÉLIER..JE DOIS VRAIMENT FAIRE PIPI !

SILENCE, SERPENT À SORNETTES ! ET SI T'EN CONNAIS UNE ...

... FAIS TA PRIÈRE !

C'est exactement ce que disaient au petit Langélusse...

... le soir avant de s'endormir, ses deux mamans !

DEUX MAMANS, TROP FORT !

C'EST ANDRÉ-BAPTISTE QUI M'A TUYAUTÉ ! MAIS, ÇA AUSSI, ÇA DOIT RESTER ENTRE NOUS !

AIGLE NOIR, SURVEILLE LE PRISONNIER PENDANT QU'ON PALABRE !

... ET NE SUCCOMBE PAS TROP VITE À SES SUPPLICATIONS.

UGH !

T.J.

①

DONC, DEUX MAMANS.

HÉ! MOI J'AI BIEN DEUX PAPAS!

Le nouveau (le policier) connaissait déjà bien le premier. Ils se croisaient au boulot.

DEUX MAMANS ADOPTIVES, EN FAIT, CAR LANGÉLUSSE, C'EST UN PERDU DE NAISSANCE.

NOOOON TROP TRISTE!

Elles sont amies et adorent aller se baigner dans la rivière.

Or, ce jour-là, plus haut sur la rivière...

Langélusse bébé flotte dans un panier.

TOME & JANRY.

ALLÉLU-YAH!

GLORIA

CONFIÉ À LA RIVIÈRE DANS UN PANIER D'OSIER ET ADOPTÉ. ÇA NE TE DIT RIEN?

SUPERMAN! SAUF QUE LUI VENAIT DE KRYPTON DANS UNE CAPSULE!

II

Bref, la même journée, Langélusse bébé perd un papa et une maman mais retrouve deux mamans.

...et reçoit un prénom: Hyacinthe. Et, comme tous les enfants normaux...

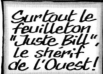
...il se met à regarder la télé 24h/24.

Surtout le feuilleton "Juste Bill", le shérif de l'Ouest!

(Ouais, j'ai vu le remake "Juste Ninja".)

...Et c'est là que...

...Hyacinthe Langélusse décide de sa vocation.

IL VEUT DEVENIR **CURÉ!**

NON! SHÉRIF!

Maintenant qu'il sait qu'il ne sera jamais au chômage, il se sent prêt à se trouver une amoureuse!

Parce qu'il le vaut bien, il ne veut pas se contenter de n'importe quoi.

Déjà, il a fait une liste avec toutes les qualités qu'elle doit avoir.

"ELLE" aura...

LE REGARD PROFOND ET MYSTÉRIEUX.

ELLE RECONNAÎTRA MON CHARISME AU PREMIER REGARD.

UNE DICTION PARFAITE...

MI CORAZÓN!

...UNE BONNE FAMILLE (FILLE DE GÉNÉRAL OU DE DIPLOMATE)...

...MAIS SURTOUT UNE EXCELLENTE ÉDUCATION.

Y a justement une soirée à thème dans un bar à tapas. Il compte y faire sa déclaration.

Autour de lui, la concurrence est rude. Les beaux garçons rivalisent d'élégance dans l'espoir d'être remarqués. Mais Langélusse ne se laisse pas intimider.

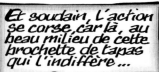

Et soudain, l'action se corse, car là, au beau milieu de cette brochette de tapas qui l'indiffère...

...Il L'aperçoit !

POCAHONTAS !
TOP COOL !

"JUSTE" LANGÉLUSSE SAIT CE QUI LUI RESTE À FAIRE.

Il entame une parade nuptiale...

La tactique semble marcher...

MOOHH !

Bref, le voilà à deux doigts de conclure dans le foin avec son amoureuse...

Et là, PATATRAS, le vent tourne brutalement.

NON !
LÀ, TU INVENTES ...

J'TE JURE ! P'TOU ! SUR LA TÊTE DE LANGÉLUSSE !

PTOU !

Pour le pauvre Langélusse, le Nouveau Monde s'écroule.
La Terre promise disparaît.

Un déluge de larmes noie tous ses espoirs ...

Ivre de douleur, il fuit le jardin d'Édenne, terre de malédiction.

MAMAAAAAANS

STOP! OÙ COURS-TU, MALHEUREUX? C'EST LA PROVIDENCE QUI T'ENVOIE!

TU ES L'ÉLU! CELUI QUI VIENT APRÈS CELUI QUI ÉTAIT VENU AVANT POUR ANNONCER LA VENUE DE CELUI QUI VIENDRA...

... ET À PROPOS, SI T'AS UN PEU DE TUNE POUR MES BONNES OEUVRES ASSOIFFÉES ...

C'est une soirée très décevante pour "Juste" Langélusse...

...et celle de Hyacinthe ne vaut guère mieux...

Et dans leurs cerveaux à tous les deux germe une idée affreuse. ...

En finir pour toujours! Pour l'éternité...

... et même au-delà!

AU SUIV...

AH NON ! NOM DE DIEU !

PARADIS ACCUEIL

DÉSOLÉ MAIS VOUS N'ÊTES PAS PRÉVU POUR AUJOURD'HUI, MON P'TIT PÈRE !

OUSTE !

...ET À PROPOS, CESSEZ DE JOUER DU REVOLVER ! ET TROUVEZ-VOUS UN VRAI MÉTIER !

Bref, Langélusse ressuscite, et là...

REPENS-TOI SUR-LE-CHAMP, MISÉRABLE ! LE VATICAN CONDAMNE LE SUICIDE D'EXCOMMUNICATION !

DEVANT MON ÉGLISE, EN PLUS !

ET AUSSI VRAI QU'ON M'APPELLE L'ABBÉ BAPTISTE, TU ES CELUI QUI VIENT APRÈS CELUI QUI ÉTAIT LÀ AVANT.

ET JE VAIS TE DONNER UN VRAI MÉTIER.

ET C'EST LÀ QUE LANGÉLUSSE DEVIENT L'ABBÉ LANGÉLUSSE !

EN VÉRITÉ, TU AS TOUT' COMPRIS.

...MAIS RENTRONS ! LE PRISONNIER DOIT AVOIR FAIT SOUS LUI MAINTENANT.

MAINS EN L'AIR, SAUVAGEONS ! VOUS NE L'EMPORTEREZ PAS AU PARADIS !

...MAIS À L'ÉCOLE OÙ JE GLISSERAI UN MOT À VOTRE PROPOS AU DIRLO !

...C'EST LE MOMENT DE FAIRE VOTRE PRIÈRE !

FIN

Quelques madames...

MADEMOISELLE CHIFFRE

(Son prénom s'rait Claudia, y paraît.) C'est notre institutrice de calcul et plein d'autres choses que je n'arrive pas à retenir quand je suis trop près du tableau où elle écrit. Le calcul, c'est pas trop mon fort. Depuis que Grand-Papy prétend l'avoir vue se baigner dans la rivière dans "le plus simple appareil", plus tard je veux devenir mécanicien. Et même, pour les appareils compliqués aussi. Ca m'fait pas peur.

GRAND-MAMY

J'ai aussi une grand-mère (du côté de mon papa...). C'est un sacré numéro, celle-là! Avec un caractère drôlement coriace, mais je l'aime bien quand même. Paraît qu'elle garde un trésor fabuleux dans son coffre, mais on croit qu'à cause de ses problèmes de mémoire, elle ne se souviendrait plus de la combinaison! Ça rend tout le monde un peu bizarre lors des réunions de famille...

MAMAN

J'vous la présente plus. Elle est là depuis le début. Elle a toujours été là. Elle sera toujours là. Elle m'aimera toujours, d'abord. Si j'y arrive, un jour je deviendrai une sorte de héros dont elle sera fière. J'ai pensé à un genre d'aventurier avec un animal fidèle et un copain qui prendra les baffes pour deux. En attendant, je profite que je suis encore un enfant, et qu'on me pardonnera tout! Et Vert s'entraîne à prendre les baffes.

ANDRE-BAPTISTE DEPERINCONU

André-Baptiste n'est pas le fils de l'abbé Langélusse : les fils d'abbés ne peuvent pas avoir de papa. On dit «Mon Père» à l'abbé Langélusse car nous sommes tous ses Enfants. Maman dit que c'est peut-être vrai pour les autres, mais pas pour moi.

(Suite page 47.)

L'autre jour...

HÉ, SALUT CASSIUS ! C'EST TON ONCLE QU'EST GUÉRISSEUR À OUAGADOUGOU ?

ET CHASSEUR DE CHENILLES. POURQUOI ?

IL T'AURAIT PAS TUYAUTÉ ? J'AI UNE PUSTULE MONSTRUEUSE, LÀ ! ÇA ME FAIT UN MAL FOU !

?

JE PEUX. TU CONNAIS LE TARIF ?

TROIS CHOCOCHOCS®. J'AI PRÉVU. JE COMPTE SUR TOI.

C'EST PARTI ! RESTE ZEN ; MOI, JE VAIS PRENDRE TA DOULEUR.

!

OUAGOU ! OUAGAH ! DOULEUR, JE VAIS TE PRENDRE ! JE T'EXTIRPE !

FUIS LE CORPS DE MON POTE ! NE RÉSISTE PAS ! JE T'ABSORBE ! JE T'ENLÈVE ! TOUTE RÉSISTANCE EST FUTILE !

OUAGAH ! BOUGAH !

VOILÀ, T'ES GUÉRI ! CE SOIR, T'AS PLUS RIEN. OUBLIE PAS LES CHOCOCHOCS®.

ET... ALORS ??

ÇA A MARCHÉ ! D'AILLEURS, LE VOILÀ ! IL VA CONFIRMER !

WAOW! CASSIUS ! SUPER TON DÉGUISEMENT D'HALLOWÉEN !

C'EST PAS UN DÉGUISEMENT.

TOME ET JANRY + DAN

538

ALORS ? ÇA VIENT OU QUOI ?!

HA ! PAS TROP TÔT ! ON POURRAIT NOUS SURPRENDRE !

NOM DE.... P'TIT MILLIARD DE VOYOU EN SHORT ! M'OBLIGER À DES ACROBATIES PAREILLES À MON ÂGE ! TU ME LE PAYERAS !

C'EST POUR LA BONNE CAUSE, GRAND-PAPY ! TU SAIS BIEN QUE MON COPAIN VERT REÇOIT JAMAIS DE CADEAU DU PÈRE NOËL !

SAUF CETTE ANNÉE, J'AI COMPRIS !

SUFFIRAIT DE LUI EXPLIQUER QUE LE PÈRE NOËL N'EXISTE PAS. ÇA M'ÉVITERAIT DE ME BRISER LES OS !

ÇA, PAR CONTRE ...

...MOI, JE PENSE QU'IL EXISTE ! JE VIENS DE VOIR UN VIEUX BONHOMME EN ROUGE DÉPOSER UN CADEAU DANS UNE CHEMINÉE.

TRÈS DRÔLE ! DANS CE CAS...

TOME & JANRY

... J'ESPÈRE VRAIMENT POUR TOI QUE TU AS RAISON ET QU'IL PASSERA CHEZ TOI ...

...SINON, FAUDRA DEMANDER À TON COPAIN DE TE PRÊTER SA GAME-STATION VU QUE C'EST TON CADEAU DE NOËL QUE JE VIENS DE DÉPOSER DANS SA CHEMINÉE !

BRAVE PETIT, VA !

554

SNiRF!

HAAAN...

AAAAAA...

SNURFL.

TOME & JANRY + DAN

TOME & JANRY + DAN

BON, J'ESPÈRE QUE T'AS CAPTÉ L'ITINÉRAIRE...

PARCE QUE, AUJOURD'HUI, TU SAUVES LA PLANÈTE !

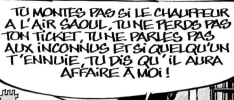

...TU RENTRES SEUL AVEC LE BUS PUBLIC.

MAIS, HEU, CH'UIS TOUT PETIT... ET C'EST LA PREMIÈRE FOIS !

TU MONTES PAS SI LE CHAUFFEUR A L'AIR SAOUL, TU NE PERDS PAS TON TICKET, TU NE PARLES PAS AUX INCONNUS ET SI QUELQU'UN T'ENNUIE, TU DIS QU'IL AURA AFFAIRE À MOI !

Bref, le soir, après l'école, donc...

GLOP

'T'INQUIÈTE ! C'EST QUE DU SIROP POUR LA TOUX.

(ATCHOUM)

CONTRÔLE DE TITRE DE TRANSPORT !

PRISON À VIE POUR LES RESQUILLEURS !

GRrr

'SONT CHOUETTES, TES BOOTS, T'AS PAS ENVIE DE ME LES FILER POUR MON P'TIT FRÈRE ?

HEU... CH'UIS ARMÉ, JE SENS DES PIEDS !

UN BONBON, FISTON ? MOI, J'EN VEUX PLUS.

DRIIING

TOME & JANRY + DAN

HA! ENFIN! T'ES OÙ? ON T'A ENNUYÉ?

NON. À PEINE DISTRAIT... D'AILLEURS...

...J'ME SUIS PEUT-ÊTRE TROMPÉ D'ARRÊT.

558

TOME & JANRY + DAN

559

C'EST LA SAINT-VALENTIN !

LA FÊTE DE TOUS LES AMOUREUX !

En ville, même le décor a quelque chose de différent...

La circulation est plus fluide.... Y a comme un air de fête...

Dans les parcs, y a comme un air de printemps...

Même le petit commerce se met dans l'ambiance.

CHARCUTERIE GROSOT

TOME & JANRY

LA FÊTE DES AMOUREUX, C'EST SUPER !

560

...SAUF, BIEN SÛR, QUAND ON EST SEUL COMME UN CHIEN.

Aujourd'hui, j'ai compris **deux choses**.

Je rêvais que je marchais dans la rue ...

...et soudain, mon pied s'est enfoncé dans une sorte de trou d'égout.

Une jambe seulement mais jusqu'à la cuisse. Infect !

Et bien sûr, paralysé ! Aucune force pour me dégager !

L'horreur ! Autour, des passants ont commencé à m'observer, sans faire le moindre geste pour m'aider...

La première, c'est que quand on fait un mauvais rêve, on peut s'en sortir en se forçant à ouvrir les yeux !

Ça marche !

POUF !

DÉJÀ RÉVEILLÉ ? BRAVO, CAR AUJOURD'HUI, IL NE FAUT PAS ÊTRE EN RETARD, C'EST...

...LA VISITE MÉDICALE !

Et l'autre, C'EST QUE QUAND ON SOUHAITE VIVRE LA SUITE DE SON RÊVE, IL SUFFIT DE LE VOULOIR TRÈS FORT !

Z !

Ça marche aussi !

HA ?! DÉJÀ DE RETOUR ?!

ET POUR VOTRE PROBLÈME, ON A UNE SOLUTION !

TOME & JANRY + DAN

561

? — 1€ ?
ET VOUS FAITES QUOI AU JUSTE ?

C'EST MARQUÉ, MOI, JE SUIS DOCTEUR.

ET LUI, DERRIÈRE, IL EST DEVIN.

ET COMMENT JE SAURAI SI T'ES UN BON DOCTEUR, BANDE DE MOULES ?

D'ABORD Y A LE PRIX : C'EST PAS DONNÉ.

ENSUITE, J'AI TOUT REGARDÉ LES ÉPISODES D'."URGENCE" À LA TÉLÉ.

C'EST BON ! PARCE QUE JE M'INQUIÈTE...

...JE M'INQUIÈTE, AVEC JUSTE UNE PETITE CIGARETTE PAR-CI, PAR-LÀ...

...ET UNE MALHEUREUSE PETITE BIÈRE POUR LA ROUTE.

...J'VOUDRAIS JUSTE ÊTRE SÛR DE NE PAS AVOIR ATTRAPÉ UN CANCER DU DOIGT OU QUELQUE CHOSE...

JE VOIS.

POUR LES CANCERS, IL FAUT VÉRIFIER SI C'EST UN "BÉNIN" OU UN "MALIN". SI C'EST UN "MALIN", C'EST PLUS DÉLICAT...

ET ON VÉRIFIE COMMENT SI C'EST MALIN ?

ON LE LUI DEMANDE.

TOURNEZ-VOUS !

TOME & JANRY + DAN

2 + 2 ?

FOOTBALL !

MATCH NUL !!

ALORS ?

AUCUN DANGER.

562

E=MC²

Et là, aux commandes de son bolide...

...une seconde avant l'ACCIDENT...

le pilote...

...revoit quelques séquences cruciales...

ADADAS

ENFIN L'AIRBAG POUR MOTARDS!

UNE VESTE QUI SE GONFLE INSTANTANÉMENT EN CAS D'ACCIDENT.

À VENDRE

J'ACHÈTE!

POUF!

POURVU QUE...

PRT PROT PRT

FOMP

YES!

?

563

TOME & JANRY

ADADAS

ACTION !
TU LÂCHES TOUT DE SUITE LES MANETTES ET TU VIENS PRENDRE LE SOLEIL AVEC MOI À LA PLAGE !

ON N'A PAS LOUÉ CE COTTAGE À LA MER POUR FAIRE DE LA SPÉLÉO !

MAIS, M'MAN, LE SOLEIL, C'EST MÉGA-DANGEREUX !

T'AS PAS LU LES ACTUS ?? LA COUCHE D'OZONE TROUÉE, LE MÉLANÔME...

SUFFIT DE SE PROTÉGER. V'LÀ LA CRÈME

AU SECOURS, QUELQU'UN !! MA PROPRE MÈRE VEUT ME FAIRE FRIRE !

J'AI LES POILS QUI FRISENT.

ON VERRA ÇA QUAND TU EN AURAS ! TU VIENS TE BAIGNER ?

LA NOYADE MAINTENANT ?

NON MERCI, JE PRÉFÈRE ENCORE LA DÉSHYDRATATION !

TOME & JANRY + DAN

D'ACCORD...

NON ! UNE SEULE GLACE !

POUR MOI !

MON FILS, HÉLAS, A FONDU !

Ce jour-là, lors de la visite au zoo, j'ai perçu une lueur spéciale dans le regard du prof de gym.

BON, HOP! FINI DE JOUER, ON RENTRE!

BANDE DE CHAHUTEURS!

QUOI? DÉJÀ?

...Une lueur inhabituelle...

ON A OUBLIÉ UN PAVILLON.

CELUI DES ARAIGNÉES!

ARACHNORIUM

...la peur!

REGARDEZ! PAR ICI! ILS ONT RENTRÉ UN NOUVEAU SPÉCIMEN!

PLUS GROS QUE LES AUTRES.

NEW

OOOOOH! ELLE EST ÉNOOOOORME!

VENEZ VOIR! ELLE DOIT AVOIR UN MÉGA-DARD!

PIK

?

SCIENTIFIQUEMENT FASCINANT! QU'EN PENSEZ-VOUS

...CERTES! MAIS ON TUE LA BÊTE OU LA PRÉCIEUSE ARAIGNÉE?

VENIMA GIGANTIX (mortans-mortans)

SECUR

TOME & JANRY + DAN

PUIS-JE VOIR VOTRE TICKET, S'IL VOUS PLAÎT RESPECTUEUSEMENT?

HEU...TU VAS RIRE, MAN! JE N'EN AI PAS.

MAIS ON VA POUVOIR S'ARRANGER.

HALALÀ... MAUVAISE RÉPONSE.

BAFF! SHOT! KASS! OUILLE! KNOT OUTCH! AYEUH!

BON, ALORS, GRAND-MAMY...

TU TE SOUVIENS BIEN D'OÙ ON VA?

HO! FAUT PAS TE VEXER!

TOUT LE MONDE PEUT AVOIR DES PETITS PROBLÈMES DE MÉMOIRE...

C'EST PAS FORCÉMENT UNE QUESTION D'ÂGE!...

...ET PUIS, JE TE CONNAIS, GRAND-MAMY.

JE SAIS QU'IL T'ARRIVE PARFOIS DE FAIRE UN PEU SEMBLANT!

AVEC MOI, ÇA NE MARCHE PAS!

HEM... TICKETS S'IL VOUS PLAÎT RESPECTUEUSEMENT.

VOICI, JEUNE HOMME!

TOME & JANRY

PARFAIT. ET POUR LE PETIT SAUVAGEON À CÔTÉ DE VOUS?

LUI, LÀ? BEN, IL ME PARLE DEPUIS DIX MINUTES, MAIS JE NE LE CONNAIS PAS!

HEIN? GRAND-M...TU PERDS LA BOULE OU QUOI?!

KRK

HALALÀ...

566

Le tutu frivole
DANSES
CLASSIQUE
ET
MODERNE

ACADÉMIE de DANSE

Z

DRIiiiiNG
!

!

KRITCHI KRITCHI SKRIT

TOME & JANRY

?

?

?

LA TAPETTE À MOUCHES...

MODÈLE CLASSIQUE.

FATIGANTE: EXIGE DES MOUVEMENTS VIGOUREUX.

DÉPASSÉE!

VOICI LA NOUVELLE GÉNÉRATION.

LE MODÈLE EST UN PROTOTYPE...

...MAIS À L'EFFICACITÉ CHIRURGICALE.

SANS LE MOINDRE. EFFORT NI MOUVEMENT.

KAÏ!

VOICI LA TAPETTE ANTI-MOUCHES ÉLECTRIQUE!

PAS BÊTE... COMBIEN?

CHER! MAIS L'ESSAYER, C'EST L'ADOPTER!

Mm...

À VENDRE 1000 ₣ NOUNO

LA TAPETTE À MOUCHES "VERTE".

- PAS D'ÉLECTRICITÉ
- SANS DANGER
- UN MODÈLE INUSABLE.

TOME & JANRY

26

TIENS, PUISQU'ON EST TRANQUILLES, JE VOUDRAIS SAISIR L'OCCASION...

TU SAIS QUE J'AI TOUJOURS BRMEUH... ÉTÉ TRÈS ATTIRÉ PAR TOI, SUZETTE.

VEUX-TU ÊTRE MA FIANCÉE ?

TOME & JANRY

LA BAGUE ! IL FAUT UNE BAGUE ! T'AS LA BAGUE ?

!

DANS MON CALOT, J'AVAIS TOUT PRÉVU...

OH ZUT !

C'EST MALIN !

...TU CHOISIS TON MOMENT !

BILING

570

(27)

TAGADAPTAGADAP...

TOME & JANRY

WOOOOF

CETTE FOIS, VOUS BATTEZ VOTRE RECORD! ...VOS RÉCENTS PROGRÈS SONT IMPRESSIONNANTS!

PENSEZ À METTRE DES BONNES CHAUSSURES SI VOUS VOULEZ GAGNER EN VITESSE...

PETIT BANDE-DE-MOULES! JE ME DEMANDE CE QUI PEUT BIEN LE MOTIVER À S'ENTRAÎNER AUSSI FORT...

BON, VOYONS CE BULLETIN...

S'IL N'EST PAS MIEUX QUE LE MOIS PASSÉ, PRÉPARE-TOI À COURIR VITE!

HEU...TU TE PRÉPARES POUR UNE PARTIE DE CHASSE?

C'EST LE JOUR DU BULLETIN DU PETIT... QUELQUE CHOSE ME DIT QU'IL POURRAIT NE PAS ÊTRE MEILLEUR QUE LE PRÉCÉDENT.

HA?! BEN... HEM JUSTEMENT, JE TE LAISSE LE LIRE...

...

RAAAAAAAAH!

TRAÎNE PAS, FISTON! AU SON, ÇA SE RAPPROCHE RAPIDEMENT...

ENTENDU! RESTE PAS DANS L'AXE DU PROPULSEUR...

TAGADAPTAGADAP

573

TOME & JANRY

WouLooWouLoULo!

HEP!

QUOi, SQUAW?

FAUT FAIRE L'AMOUR, PAS LA GUERRE!

HEIN?! ...ET QU'EST-CE QUE TU CONNAIS, TOI, D'ABORD, À L'AMOUR?

JE VAIS T'ESSPLIQUER...

COMME JE T'AIME, CHUIS PRÊTE À MOURIR POUR TOI! TIRE-MOI UNE FLÈCHE DANS MON COEUR!

HEIN?! T'ES PAS BIEN?

TIRE, JE TE DIS! SI TU M'AIMES, TU FAIS SANS DISCUTER TOUT CE QUE JE DEMANDE!

PFF! OK, SQUAW! TANT PIS POUR TON COEUR!

TCHOK

TOME & JANRY

BEUH, SI C'EST ÇA L'AMOUR, J'EN VEUX PAS! ÇA FAIT TROP MAL!

ÇA, C'ÉTAIT PAS ENCORE L'AMOUR! JUSTE LE COUP DE FOUDRE!

ÇA, C'EST DE L'AMOUR!

PFF! J'LE SAVAIS... J'AI VISÉ À CÔTÉ EXPRÈS!

D'ABORD!

574

GRAND-PAPY!
GRAND-PAPY!

TU VIENS JOUER AVEC MOI SUR LA BALANÇOIRE?

DENTACOL, LE MAÎTRE-CHOIX DES SENIORS

LA BALANÇOIRE!

LA BALANÇOIRE ?!!

LA BALANÇOIRE!

CHUIS TROP VIEUX POUR ÇA.

JE SUIS UN ANCÊTRE.

UN FOSSILE.

UNE RUINE.

UN CROULANT.

UN VÉTUSTE.

J'AI LES OS FRAGILES COMME DU VERRE. SI JE TOMBE ON ME RAMASSE À L'ASPIRATEUR.

HEIN ?! MAIS PAS DU TOUT!

VA PLUTÔT DEMANDER À TA MÈRE DE TE FAIRE UN P'TIT FRÈRE.

C'EST AVEC TOI QUE JE VEUX JOUER! ET D'ABORD, T'ES PAS VIEUX !

TU AIMES TON CONFORT, C'EST NORMAL! VIENS, J'AI TOUT PRÉVU. PAS BESOIN DE POUSSER, CHACUN S'ÉLANCE TOUT SEUL!

TALAAMMM! ♪

PARÉ AU DÉCOLLAGE ?

TOME & JANRY

575

(32)

AUJOURD'HUI, BANDE DE MOULES, CONCOURS PHOTO! TOUTE L'ÉCOLE PARTICIPE!

ALORS, QUEL SUJET CHOISISSONS-NOUS POUR SUBLIMER ARTISTIQUEMENT TOUTE CETTE FRUSTE SAUVAGITUDE BESTIALE?

LES GORILLES! LES GORILLES!

LA BARBARIE DU PRIMATE! BON SUJET! OBSERVEZ VOTRE MAÎTRE INTRÉPIDE S'AVENTURANT SANS CRAINTE AU CŒUR DU SC...

NE PAS SE PENCHER DANGER

ooôÔPS!

RAFF WIFF KETT ?

LE SINGE A FAIT LA PHOTO MAIS C'EST MOI QUI AI EU L'IDÉE!

1er

TOME & JANRY

575

TOME & JANRY

Ce jour-là, le F.C. Finasse-les-Magouilles jouait son avenir contre le Lokomotiv Kastybia.

Monsieur Mégot en était à sa dix-septième pils et l'avenir de son club favori semblait compromis...

ZÉRO / ZÉRO. ON EST BONS POUR LES PROLONGATIONS! SUSPENSE INSUPPORTABLE!

...et c'est là que j'ai compris pourquoi il avait insisté pour que je regarde le match avec lui.

FAIS LE GUET PENDANT LES PUBS! MOI, J'AI BESOIN D'ALLER..., HEM, PURGER MA TUYAUTERIE.

!

J'ai honte, mais, j'ai eu comme une idée de me venger.

Je sais, c'est pas bien.

VITE! LE MATCH REPREND!

HEIN ?! MAIS ?! J'AI PAS FINI!

DÉCRIS-MOI TOUT! DÉCRIS-MOI TOUT!

REMISE EN JEU DU BALLON!

CATASTROPHE! LE LOKOMOTIV LANCE UNE ATTAQUE FULGURANTE!

GRONALDO DRIBBLE TROIS...NON! QUATRE DÉFENSEURS PARALYSÉS! IL ARME SON TIR, OUILLE! OUILLE!

ET, NON! C'EST

GOOOAAAAL!!

...ET APRÈS CETTE PAUSE, LES JOUEURS REVIENNENT POUR LES PROLONG...

TOME & JANRY.

5/8

L'autre nuit, un phénomène étrange m'a réveillé !

D'abord, le bruit...

...et ensuite, les tremblements.

J'ai cru que le miroir allait tomber.

Toute la chambre a été...secouée.

BRROLOBROOBOL OBROLOBRO OBR OBROLO BROMBO

GLING GLING

J'ai d'abord cru à un déraillement de train...

Mais il n'y a pas de chemin de fer près de la maison.

Après un silence, ça s'est calmé. Même les oiseaux semblaient avoir été tirés de leur sommeil. Ils se sont mis à chanter.

BRO BOLOBRO

PIOU PIOU

CUI CUI

CUI CUI

COUI COUI

COIN COIN

PIU PIU PIU

Et là, j'ai pensé...

UN TREMBLEMENT DE TERRE !!!

LA MAISON A TREMBLÉ ! LA MAISON A TREMBLÉ !

HEM... PAS D'INQUIÉTUDE, FISTON ! HEM... C'EST SEULEMENT MOI ET GOURMANDINE...

ON A ÉTÉ PRIS D'UNE SOUDAINE ENVIE... HÉHÉ... DE JOUER À SAUTE-MOUTON...

VA TE RECOUCHER !

HUM...

?

???

TOME & JANRY

579

O.K.! J'vais pas vous mentir, Internet, la Game-Station, tout ça, j'aime bien aussi.

Mais sincèrement...

PEEEOo
Wiiiizzz

...la top-classe, le sommet du délire méga-marrant...

DING DONG
COU cou
DRiiiiNG!

...c'est le jour de sortie du nouvel album de ma série préférée...

VROOO
SUPER

"ROUKOUKOU et RiDiDi au pays du TRULULU mystérieux"!

Ne vous y trompez pas! Ce nom bizarre, c'est fait exprès. C'est codé. C'est pas une BD pour les nains de jardin en short!

PAS DE CÂBLE NI DE BATTERIE À RECHARGER, JAMAIS DE PANNE. À LIRE PARTOUT. UN GRAPHISME CANON 100% RECYCLABLE ET DRÔLE!

ET EN PLUS...DANS LE NUMÉRO, SOUS PLASTIQUE, UN CADEAU!!!

ROUKOU RiDIDI

DANS CHAQUE ALBUM, UNE SUPER-CARTE POILANTE À COLLECTIONNER!

MMH... J'Ai BiEN ENVIE DE DÉTACHER CHAQUE CARTE ET DE N'ACHETER QU'UN SEUL ALBUM...

APRÈS TOUT, SI C'EST UN CADEAU GRATUIT...

SCRITCH   KRAK
KRACH   SCRATCH   BIDOUILLE   KRiTCH
BIDOUILLE

580

?

DiX-SEPT FOiS LE MÊME ALBUM??

HEU... J'Ai PENSÉ AUX COPAINS...

BRAVE PETiT.

TOME & JANRY

RAAAAAAAAAAAWW!! PET PET

⊙!¡*
CATASTROPHE!!!

ALLÔ? C'EST TOI, BANDE DE MOULES? FAUT QUE TU M'ENREGISTRES LE MATCH À LA TÉLÉ! JE VAIS LE RATER! CHUIS EN PANNE D'ESSENCE!

MAIS, M'SIEUR! JE N'AI PAS DE MAGNÉTOSCOPE! ...MAIS J'AI UNE MEILLEURE IDÉE!

...VOUS PRENEZ LE BUS JUSQU'À LA PROCHAINE STATION ESSENCE.

OK! PAS BÊTE!

...LÀ, VOUS ACHETEZ UN JERRICAN QUE VOUS REMPLISSEZ, ENSUITE...

TUTUL
24/24

... JE REPRENDS LE BUS DANS L'AUTRE SENS. COMPRIS, ON S'RAPPELLE!

CITY

TRILILIII TRILILIII

?

ALLÔ?! HA! C'EST TOI! OUAIS, CHUIS DANS LE BUS AVEC L'ESSENCE. OUAIS!

BEN VOUS ALLEZ POUVOIR ASSISTER AU MATCH, ALORS! ENCOURAGER VOTRE CLUB AU STADE.

MIEUX! ÇA VA ÊTRE GRANDIOSE! HAHAHA! ON VA LEUR METTRE LE FEU!

TOME & JANRY

581

ÇA VA ÊTRE UN MASSA...

NOUS INTERROMPONS CE MATCH POUR UN FLASH SPÉCIAL: UN FORCENÉ MAÎTRISÉ GRÂCE À L'HÉROÏSME DE...

envoyé SPÉCIAL

Comment échapper au cross ? J'vous explique...

JOYEUX ANNIVERSAIRE!

... HEU, NORMALEMENT, C'EST CE TIRÉ-AU-FLANC D'ANDRÉ-BAPTISTE QUI DEVAIT OFFRIR LE CADEAU MAIS IL EST MALADE, ALORS, VOILÀ ...TOUTE LA CLASSE S'EST COTISÉE.

LES FILLES ONT COUSU ET... HEM ...

OH! UNE ÉCHARPE AUX COULEURS DE MON CLUB FAVORI!

... AVEC DES FAUSSES MAINS AU BOUT POUR FAIRE PLUS RIGOLO.

L'IDÉE EST DE MOI.

ASSEZ DE BLABLA! VAS-Y DEMANDE-LUI!

POUR LE CROSS DE LUNDI... VU LES CIRCONSTANCES, VOUS POURRIEZ EXCEPTIONNELLE-MENT NOUS EXEMPTER TOUS (SAUF ANDRÉ-BAPTISTE).

JE VOIS, ON NE PERD PAS LE NORD! J'Y RÉFLÉCHIRAI.

Bref, sur la route du retour...

!

DODO-LA-COUTURE! LE DÉCOUPEUR EN SÉRIE !!! OUVRE TON COFFRE, ORDURE! LIBÈRE TA VICTIME

ON TE TIENT!

Il a quand même fallu un moment pour dissiper le malentendu...

BON, FILEZ! MAIS À LA MOINDRE INCARTADE ...

TART

On est lundi et toujours sans nouvelles de notre prof de gymnastique.

582

TOME & JANRY

- Raconte ! Raconte !
- J'AI TROUVÉ MA VOCATION ! PLUS TARD, J'S'RAI MASSEUR ! PROFESSIONNEL !

- ???
- D'ABORD, IL FAUT SE PROCURER LE MATÉRIEL. LA BONNE CRÈME DE MASSAGE. ENSUITE, FAUT OUVRIR SON CABINET.

- ?
- SI POSSIBLE DANS UN LIEU DE VÉLI...VILLÉT...DE VACANCES. LA CLIENTÈLE EST PLUS SYMPA.

- ...PRÉVOIR UNE SALLE D'ATTENTE. J'VEUX DIRE, UN ENDROIT D'OÙ L'ON PEUT ATTENDRE LE CLIENT...

- AVEC UN BON PAS DE PORTE, LE CHALAND ABONDE. LE BOUCHE À OREILLE FONCTIONNE VITE.

- IL FAUT ÊTRE ATTENTIF AUX BESOINS DE SA CLIENTÈLE, ÊTRE ATTENTIF À SES MOINDRES DEMANDES...

- ...ET SAVOIR VENDRE SON SERVICE, FAIRE UN PEU DE PUB.

- ON SE BATTRA POUR AVOIR UN RENDEZ-VOUS.

- MOI, DÈS MON PREMIER ESSAI, J'AI TOUCHÉ LE GROS LOT: MISS UNIVERS EN PERSONNE !
- Trop Fooooooort !

CRÈME ZOLAIRE MASSAGE
PRO

CRÈME ZOLAIRE MASSAGE

?

583

TOME & JANRY

PLUS VITE !

CA TRAÎNE !

C'EST MOU !

À CE RYTHME-LÀ, DANS DIX ANS...

...VOUS EN S'REZ TOUJOURS AU MÊME POINT !!!

POP !

PFF... IL EST PÉNIBLE ! TOUJOURS À NOUS PRESSER !

BAH, ÇA PART D'UNE BONNE INTENTION...

ÉCOLE MUNICIPALE

...LES VIEUX VEULENT FAIRE DE NOUS DES "GRANDS" MEILLEURS QU'EUX !

TROP DUR ! MOI J'ABANDONNE !

TOME & JANRY

M'SIEUR ! M'SIEUR !...

...VOUS VENEZ NOUS AIDER ??? ON FINIT LA CONSTRUCTION D'UNE FUSÉE ! ON CHERCHE DES COSMONAUTES !

HA NON ! MERCI BIEN ! L'ESPACE, ÇA NE ME FAIT PAS PLANER.

MOI, C'EST LA SPÉLÉO ! UN SPORT À CREUSER ! REGARDE ÇA ! UNE NOUVELLE GROTTE MYSTÉRIEUSE À EXPLORER !

?

VA JOUER, SPOUTNIK ! SI JE CHANGE D'AVIS, JE TE PRÉVIENDRAI !

BON, UN PANNEAU OU DEUX ET C'EST FINI... TIENS ??? ILS VIENNENT D'OÙ, CEUX-CI ?

BEN, DE LÀ-BAS...

NE PAS APPROCHER
DANGER

?

?

PFFFFF

...À CÔTÉ DE CE TROU ! ÇA TRAÎNAIT !

?

FUITES DE GAZ

OUAIiiiiS !! "MISSILE" ! ENCORE PLUS FORT !

585

TOME & JANRY

Les vacances, en principe, c'est fait pour se reposer...

Et pourtant...

VROOOAAAAAAARRR

...

YAAAA!

VROOOOAAAA

ROOOAAAAAA
VROOOOAAAA

VOOOAAA
ZzZz

ROOOAAAR
OLE!

VROOAPVROAA
HEP!

ZzZz
ZzZz

ROOON...ROOO
ZzZz   ZzZz
ZzZz

Et même la nuit...
FOOTBALL!
PWAAA

...Vive la rentrée!

SAUT À LA PERCHE

ZZZZZ

588

TOME & JANRY

2

Oui, parfois, j'oublie de vous les raconter...

Celle-ci date de l'hiver dernier.

NIN DE D'JÈ DE NIN DE D'JÉ.

Grand-mamy, chuis trop triste quand elle est malheureuse.

MAIS OÙ SONT-ELLES ??

NIN DE D'JÈ !

ET L'AUTRE PETIT MORVEUX QUI, AU LIEU DE M'AIDER, S'AMUSE DANS LA NEIGE...

PAR ICI, GRAND-MAMY !

HA ! TU LES AS RETROUVÉES !

MONTE DONC PRENDRE UN CHOCOLAT AVEC TON COPAIN.

TOME & JANRY

587

PRÊTS ?! ELLE EST LÀ... À MON SIGNAL...

C'EST PARTI ! GO !

!

MERCI LES GARS !

BEN, ÇA ! T'ES GONFLÉ, TOI !

...MAIS SI TU CROIS QU'IL SUFFIT DE QUELQUES BALLONS POUR M'ÉBLOUIR...

NON ! NON ! J'AI PRÉVU MIEUX !

TIENS-MOI ENCORE CELUI-CI, LE TEMPS DE VENIR TE L'APPORTER...

?

DEUX ! ET AVEC BEAUCOUP DE CHANTILLY' !

...ET TA-TSAA ?!

BEN... SUZETTE ?

SUZETTE ?!

PFFE... DÉJÀ ENVOLÉE !

TOUTES LES MÊMES !

TOME & JANRY

J'ai un secret. Jamais j'oserai l'avouer...

HEU... LA PÊCHE AUX CANARDS, ÇA C'EST COO...

NAN! J'VEUX ÇA!

... le vertige! Si j'étais découvert, tout le monde me prendrait pour un petit zizi : surtout elle.

... LA GRANDE ROUE! LE FRISSON DES AMOUREUX!

Seule solution : Frimer. Rester cool, imperturbable, visage de glace.

C'EST PARTiiiiii!

P'EST TARCi! COOOL.

Tursout, faire comme si ne rien d'était!

Enfin, on redescend. J'ai assuré, elle ne s'est doutée de rien.

LA PHOTO-SOUVENIR, SOURIS, CHEEEESE!

CHiiiz!

FLiitz!

LA PHOTO!! ON LA REGARDE ENSEMBLE?!

SÛR. JUSTE UNE PETITE SECONDE, JE REVIENS.

TOME & JANRY

Quelques andouilles...

...sauf lui !

MONSIEUR MÉGOT

Le prof de gym.
Désiré de son prénom;
indésirable auprès de
ses élèves.
Auteur de la formule :
"Le sportif intelligent
évite l'effort inutile".
Boit.
Fume.
Boit.
Fume.
Craque de partout.

L'ABBE LANGÉLUSSE

(Hyacinthe.)
C'est le gardien
vigilant des âmes
qui vivent à l'ombre
du clocher.
Epie mes promenades
avec Suzette
au petit bois.
Parle parfois avec
"Lui" !
Aurait déjà sa place
réservée *"Là-haut"*.
Et on ne rigole pas avec
ces choses-là.

MELCHIOR DUGENOU

C'est le petit ami caché
de la prof de calcul.
Mais c'est un secret,
on ne peut pas le dire.
Surtout quand
Mademoiselle Chiffre
l'emmène pour un bain
de minuit et que nous
sommes dans les buissons
pour les observer. Parfois,
je me dis qu'il a bien de la
chance, "Melchiorichou".

GRAND-PAPY

(Je l'appelle Pépé.)
Aurait connu
les tranchées.
Fume la pipe sans
avaler la fumée.
Lauréat invaincu du
Rallye des Ancêtres
à roulettes.
Porte un dentier
et prend des bains
de pieds aux algues
aromatiques.
Complètement fondu.
C'est ma grande
personne préférée.

SI VOUS
AIMEZ COMME MOI
"PARIS-FRIPON" ET
"FROU-FROU JOURNAL",
VOUS AIMEREZ
LES ALBUMS DE "SODA",
DE "PASSE-MOI L'CIEL" ET
LE MAGAZINE SPIROU.

PREMIÈRE ÉDITION

Dépot légal : novembre 2012
D.2012/0089/151 — ISBN 978-2-8001-5159-5 — ISSN 0776-2844